La Niña Arco Iris

CB069405

La Niña Arco Iris

Marina Colasanti

Ilustraciones de la autora

global
EDITORA

© Marina Colasanti, 2005
1ª Edición, Global Editora, São Paulo 2010
1ª Reipresión, 2011

Director Editorial
Jefferson L. Alves

Gerente de Producción
Flávio Samuel

Edición de Texto
Cecilia Reggiani Lopes

Coordinadora Editorial
Dida Bessana

Asistentes de Producción
Emerson Charles Santos
Jefferson Campos

Asistente Editorial
João Reynaldo de Paiva

Traducción
Alberto Jiménez Rioja

Revisión
Rosa Justo

Ilustraciones
Marina Colasanti

Editoración Electrónica
Neili Dal Rovere

Dados Internacionales de Catalogación de La Publicación (CIP)
(Cámara Brasileña del Libro, SP, Brasil)

Colasanti, Marina, 1937
    La niña arco iris / Marina Colasanti ; ilustraciones de la autora ; [traducción Alberto Jiménez Rioja]. – São Paulo : Global, 2010.

    ISBN 978-85-260-1509-8

    1. Literatura infantojuvenil I. Título.

10-07921   CDD-028.5

Índices para catálogo sistemático:
1. Literatura juvenil   028.5
2. Literatura infantojuvenil   028.5

Global Editora e Distribuidora Ltda.
Rua Pirapitingui, 111 – Liberdade
CEP 01508-020 – São Paulo – SP
Tel.: (11) 3277-7999 – Fax: (11) 3277-8141
e-mail: global@globaleditora.com.br
www.globaleditora.com.br

Colabore con la producción científica y cultural.
Está prohibida la reproducción total o parcial de
esta obra sin la autorización del editor.

Nº de Catálogo : **3231**

Virginia se cayó en la taza de leche.

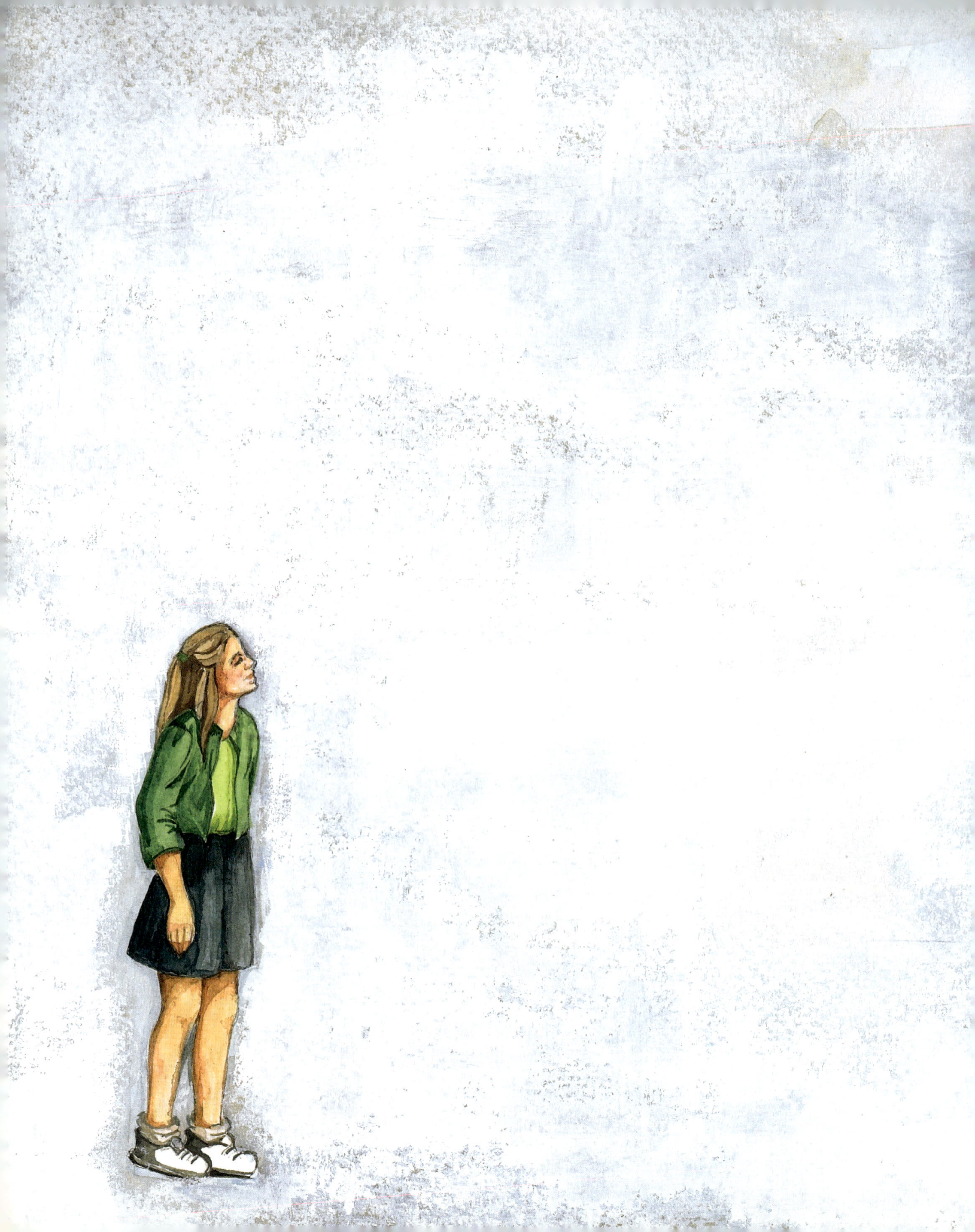

Se asomó demasiado y ahora está en el fondo
blanco, todo blanco alrededor.
Ningún camino visible,
ninguna ciudad. Tal vez montañas
o nubes.
Y un silencio detenido, de algodón.

Esperar fue lo más sencillo que se le ocurrió.
Y esperó. Hasta el primer sonido, tintineo de campana
o timbre, que venía de lejos, y que poco a poco
se dirigía hacia Virginia.

Apareció primero una oveja
y después otra, y el pastor,
seguido de los corderitos.
En todos la misma lana.
En mechones en los lomos
y las patas, tejida en la ropa.
Pero igual de blanca.

El pastor nunca había visto una niña como Virginia. Falda azul, blusa verde, cabellos rubios, ojos, lazos, chaqueta, todo de color.

Era la primera niña arco iris que alegraba su vida. Extendió su mano despacio, tomó la mano de Virginia, la olió, la lamió levemente buscando sabor y reconocimiento.

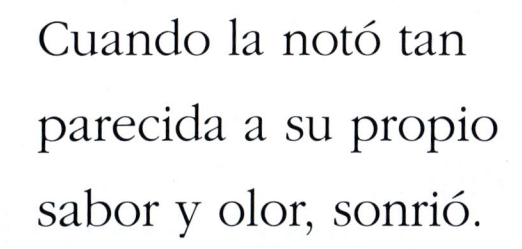

Cuando la notó tan parecida a su propio sabor y olor, sonrió.

Virginia sonrió también al hombre-leche, primera persona toda blanca que clareaba su vida.

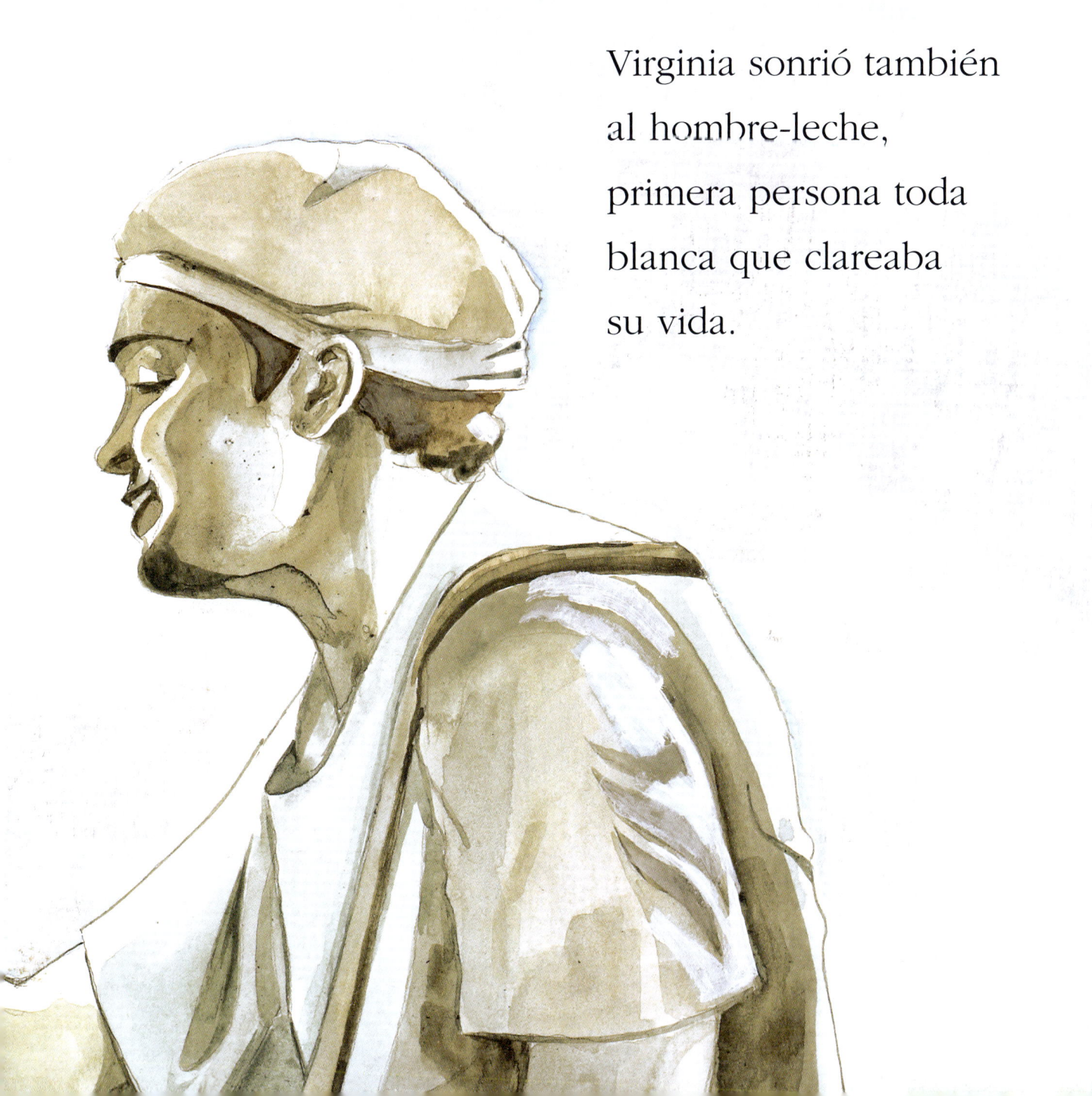

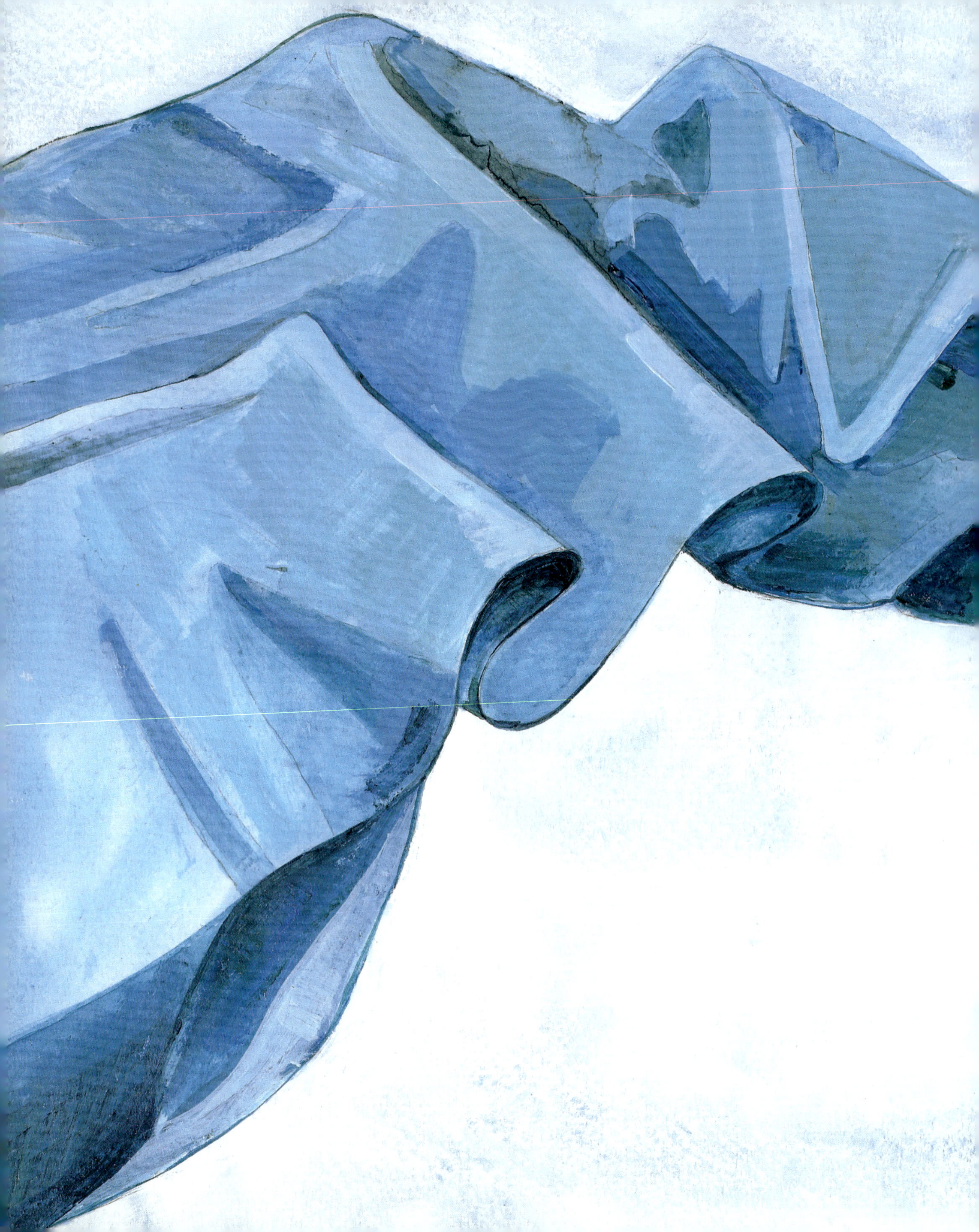

"¡Qué cosa tan linda!", pensó el pastor
mirando el azul de la falda de Virginia.
Y encantado pidió un pedazo
de aquel color, que ondeó en el aire
como un estandarte.

A lo lejos, la chica blanca que bebía en el arroyo de leche sorprendió aquel añil que se alastraba por el cielo pálido.

Fue a ver lo que era y se encontró con Virginia, niña de tantos colores, más allá de su imaginación.

Pidió un pedazo de su blusa y lo dejó en el suelo.

Luego, las ovejas golosas se pusieron pronto a pastar la hierba nueva.

En la parte más alta del manzano blanco, el hombre que recogía manzanas blancas vio el cielo y la hierba. Bajó y fue corriendo a pedir un pedazo del lazo color de esmeralda para el árbol, y se llevó también un beso de Virginia para que sus manzanas se volviesen rojas.

Los pájaros, que en medio de
tanto blanco no cantaban, robaron
con la punta de las alas un poco
de negro de los ojos de Virginia,
y como golondrinas se llamaron
por el aire en melodiosos gritos.

En la aldea del valle, el ruido de los pájaros llegó al oído de un pintor de brocha gorda, que tiró la lata de cal

que rodó hasta los pies de la lavandera

que soltó las sábanas en el tendedero

que cayeron en el polvo-talco

que asustaron al barrendero
que soltó la escoba
que despertó a la bordadora
que llamó a la puerta

que asombró a la pastelera

que vertió la harina

que ensució al vendedor de palomitas

que tocó la campana

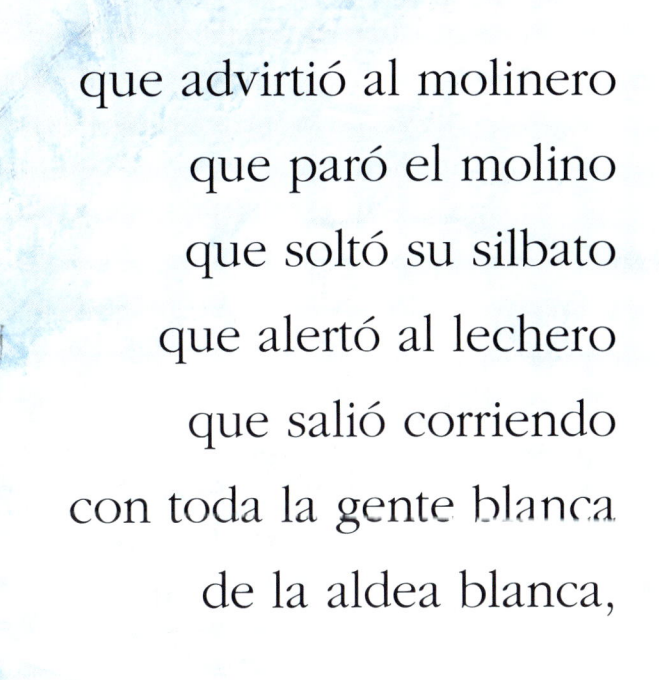

que advirtió al molinero
que paró el molino
que soltó su silbato
que alertó al lechero
que salió corriendo
con toda la gente blanca
de la aldea blanca,

dejando sólo al poeta inmaculado, que también tiró la pluma y la hoja sobre la mesa blanca y corrió detrás de los demás para ver qué alegría tan grande era aquella.

Cuando llegó el poeta, todo en torno a Virginia era color. Más allá de Virginia todo era blanco.
Cada uno tenía su pedacito de color para avivar alguna cosa. Pero faltaba lo principal.

Entonces le pidió un rizo de los cabellos de oro a Virginia y se lo enrolló en la punta del dedo.
Con un solo gesto, pinchó el cielo azul con aquel brillante anillo.
Y el sol brilló.

Todos cantaron y bailaron en torno a Virginia en la fiesta del calor. Olvidados del resto, alegres como si estuviesen solos en el mundo, no se dieron cuenta de que el sol derretía poco a poco el blanco allá lejos, ni vieron cómo la leche comenzó a escurrir, a gotear, a aumentar, llenando el arroyo, llenando el lago, llenando la tina de la lavandera.

Y la leche descendió apagando los colores, subió inundándolo todo, llevándose a Virginia, desbordando el mundo blanco afuera de la taza.

Y ahora está Virginia de vuelta a la silla, de vuelta a la mañana y a la mesa del café.

Con el regazo todo mojado, ¿cómo convencer a su madre de que ella no había derramado la leche?

Foto: Affonso R. de Sant'Anna

Marina Colasanti

Nacer en Asmara, Etiopía (la actual Eritrea), otorga un aire de distancia y misterio. Vivir en Italia, trasladarse a Brasil y construir una nueva vida torna la historia más próxima y más intrigante.

Escribir sobre hadas, reyes, unicornios y princesas en esta era de la cibernética incrementa aún más algunas de las interrogantes de la historia de la autora.

Marina Colasanti estudió en la Escuela Nacional de Bellas Artes, hizo grabado en metal y trabajó en prensa y en televisión como editora y cronista. Ha traducido decenas de libros y publicado muchos textos de poesía y prosa.

Indica que, en literatura, su interés y su búsqueda residen en "esa cosa intemporal llamada inconsciente. Cambia la realidad externa, pero nuestra realidad interior, compuesta de miedos y fantasías, permanece inalterada. Es con ella con la que dialogan las hadas interactuando simbólicamente, en cualquier época y en todos los tiempos".

Lea también de Marina Colasanti

Para niños

El Lobo y el Cordero en el Sueño de la Niña
Un Amor sin Palabras
Un Verde Brilla en el Pozo

Para jóvenes

La Joven Tejedora
De su corazón partido
Con certeza tengo amor
Veintitrés Historias de un Viajero*

* Prelo

Impressão e Acabamento

brasilform
gráfica | editora

Rua Rosalina de Moraes Silva, 71
Cotia-SP - Tel: 4615 1111 - Fax: 4615 1117
www.brasilform.com.br
e-mail: brasilform@brasilform.com.br